따라

KB084224

맛 집

빙수 　 도너츠 　 민트초코
쿠키 　 게이크 　 붕어빵

~ 후 식 편 ~

글 　 그림
김채리 　 초밥
나봄
현소희

※맛으로 승부합니다

맛있는 음식 작품을 지어준 작가님,
무산된 펀딩에 끝까지 남아준
26명의 후원자분들,
그리고 아낌없는 조언을 해준 친구에게
무한한 감사를 표하며

그리고 이 책을 구매해준 당신

사...사...

고맙습니다

차림표

차리며_여는 글

디저트의 역사 - 부제: 두유 노 와플? 6p

에세이

보내러 가는 길 9p

제철 과일 빙수(3~4인용) --------------- 18,000원
생크림 식빵 토스트 ----------------------- 4,000원

36시간의 쿠키 17p

오색 찬란 대왕 쿠키 ----------------- 개당 4,000원
[ice] 아메리카노 ------------------------- 4,900원

단편 소설

해에게 미뤄둔 질문 26p

갓 튀긴 도나쓰 쎄트 ------------------- 9,900원
쫄깃쫄깃 꽈배기 ------------------------- 1,500원

말하지 않아도 47p

촉촉 생딸기 케이크 -------------------- 7,000원
생우유크림 케이크 -------------------- 6,000원

보너스 페이지)
금우당 아이스크림 61p

우리목장 아이스크림 ---------------------- 5,000원

대담
민트초코?
그거 치약 아닌가요? 72p

민트 초코 아이스크림 ---------------------- 5,000원
녹차 아이스크림 ---------------------------- 5,000원

보너스 페이지) 민트초코를
왜 좋아하세요? 78p

슈크림 vs 팥
어떤 붕어를 낚으시겠어요? 84p

팥 붕어빵 ------------------------------- 3개 2,000원
슈크림 붕어빵 ------------------------- 3개 2,000원

치우며_닫는 글
당 떨어질 때 디저트 한 스푼
– 부제: 저혈당 아닌데요? 91p

우리 디저트의 역사
부제: 두유 노 와플?

김채리

고종 황제가 와플을 먹었다는 이야기는 이미 많이 알려진 사실이다. 와플과 함께 커피(가베)역시 당시 최신 유행 식품이었다는 기록이 한국을 방문한 외국인 사절의 기록에도 남아있다. 이정도면 와플도 한식이 아니냐는 말을 우스갯소리를 할 법도 하다. 근래엔 와플 틀이 인기를 얻으면서 크로플이나 호떡 와플, 나아가 누룽지나 주먹밥을 와플로 만들어 먹는 사례가 등장하기도 했으니 먹을 것에 늘 진심인 한국인의 모습이 여지없이 감탄을 자아내게 한다.

7년 전쯤 서울에 사는 친구네 집에 잠시 신세를 진 일이 있었다. 커피와 샌드위치가 배달이 된다는 말을 듣고 깜짝 놀랐던 일이 무색하게도 7년이 지난 지금, 배달 어플에서 카페 음료와 디저트를 주문하는 것이 익숙한 일이 되었으니 변화의 흐름이 빠르다는 걸 다시 한번 실감한다. 부정할 수 없이 디저트도 배달 시대의 일원이다.

여기서 '디저트'라는 표현을 쓰긴 했지만 본래 '후식'이나 '다과'가 전통적인 표현이다. 대표적인 전통 디저트 '유과, 약과, 식혜'는 쌀이 주식이었던 과거의 식문화와 밀접하게 연관 되어 있다. 쌀을 튀기거나 갈거나, 밥을 발효하는 등, 쌀의 변주를 통해 탄생한 우리 전통 간식은 마카롱, 스콘, 타르트 등의 화려한 서양식 디저트 앞에서 위상을 떨치지 못했다. 그러나 최근 할머니 입맛을 선호하는 새로운 유행이 이어지면서 약과, 오란다, 주악과 같은 쌀 디저트가 선풍적인 인기를 얻고 있다. SNS와 포털사이트를 가득 채운 약과 사진을 보며 패션처럼 디저트도 돌고 도는 걸까.라는 생각을 하게 된다.

국내 디저트 시장 규모는 2021년 기준 6조 원, 2022년 기준 한국에 등록된 카페 수는 10만 개가 넘는다. 출판 분야 일반 서적 출판업의 시장 규모가 2조 원, 독립서점이 814곳 등록된 것에 비하면 놀라운 수치다. 디저트를 사치라고 생각하는 분위기는 이제 사라졌다. 오히려 식후 카페에 가는 것이 하나의 문화로 자리잡기도 했다. 요즘은 회식 자리에서도 1차 뒤에 2차로 카페에 간다는 말이 나올 정도니, 카페와 디저트는 일상과 다름없다고 볼 수 있겠다.

책에 싣고 싶은 디저트가 정말 많았다. 국화빵, 카스테라, 마카롱, 에그타르트, 소금빵… 한 때 우리의 삶을 뒤흔들어 놓았던, 그리고 아직 우리의 혈당 수치를 쥐락펴락하는 맛있는 디저트들이 숙제로 남아있다. 부디 《맛 집》의 2권이 나올 수 있길 바라며, 이 책을 연다.

배달구역: 제주 전 지역

배달시간: 오전 11시~오후 11시

064-XXX-XXXX

보내러 가는 길

옛날 빙수 맛집

※유사상품 주의

에세이

나 봄

※절취선※
리뷰이벤트
옥수수토핑추가
※주문시
말씀해주세요.

지긋지긋하던 중간고사가 끝났다. 두꺼운 전공 서적을 붙잡고 기숙사로 향하는 발걸음이 무거웠다. 벚꽃의 꽃말이 중간고사라면 벚꽃비의 꽃말은 종말이라 하던가. 시험 하나로 인생이 전부 무너지진 않겠지만, 답안지를 내면서 세상이 끝난 기분이 들었다면 어떻게 해야하지. 나는 매서운 제주의 바람과 함께 우수수 떨어지는 꽃잎을 보았다. 머리 위로 봄이 와르르 쏟아져 내렸다. 해가 저무는 하늘을 한참 동안 바라보다가 휴대폰을 들었다. 친구에게 메시지를 보냈다. [끝났어?] 친구에게서 답이 왔다. [방금.] 나는 바로 전화 버튼을 눌렀다. 친구가 여보세요, 하고 말을 꺼내기도 전에 용건이 먼저 튀어나왔다. 우리 봄 마중하러 갈래?

우리 학교는 왜 산에 있는 걸까.
그러게.
우리 왜 나간다고 했을까.
그러게.
우리 선택을 잘못한 걸까.
그러게….

친구와 나는 입 밖으로 말을 내지 않았지만, 텔레파

시가 통하는 사람처럼 눈으로 대화했다. 한숨이 나왔다. 버스 안에는 사람이 너무 많았다. 그래서 자리에 앉지도, 손잡이를 잡지도 못한 채로 서로를 의지해 버티고 섰다. 오늘따라 길은 또 왜 이렇게 험한지. 윽, 소리도 내지 못하고 살아남기 위해 꾹 참았다. 그때였다. 사람들이 약속이라도 한 것처럼 와, 하고 감탄사를 뱉어냈다. 우리는 어리둥절했다. 뭔데. 나도 몰라. 알려주는 이하나 없으니 직접 알아보는 수밖에. 나는 웅성대는 소리 사이로 까치발을 들어 머리를 빼꼼 내밀었다.

사람들의 시선이 닿은 곳을 마주했을 때, 나는 넋을 놓을 수밖에 없었다. 큰 도로를 가운데에 끼고 양쪽으로 수놓아진 나무들 사이로 꽃잎이 함박눈처럼 소복이 쌓여 있었다. 그리고 바람이 불 때마다 꽃눈은 허공으로 흩어져 세상을 온통 하얗게 물들이고 있었다. 나무는 일제히 가운데로 흔들리는 듯했다. 제가 품고 있는 마지막 꽃잎까지 아름답게 떨어뜨리기 위해서 말이다. 버스가 꽃길을 가로질렀다. 앞 유리창 가득 피어난 봄에 불만은 어느새 사라지고 없었다. 창문 틈 사이로 바람이 살랑살랑 불어왔다. 앞머리가 눈가를 간지럽혔다. 나는 친구에게 꽃비에 대한 이야기를 전했다. 내 눈에 비친 봄이 이렇게 아름다웠다고. 봄을 아직 보낼 준비도 하지 못했는데 벌써 떠나는 것 같다고. 이야기를 한참 듣던 친구가 그랬다. 곧 수국 피겠다. 나는 순간 머리를 한 대 맞은 기분이었다. 공부하느라 봄을 느끼지도 못하고 다 지나보냈다고 생각했는데, 그게 아니었구나. 지면 사라지는 게 아니라, 다시 필 수 있는 거구나. 버스가 정류장에 멈췄다. 나는 멍한 얼굴로 내렸다. 그걸 다 알아채기라도 한 듯, 머리 위로 꽃잎이 하나 떨어졌다. 하늘에서 벚꽃이 황홀할 정도로 흐드러지게 흩어지고 있었다.

꽃길을 따라 자연스럽게 걷다가 자리에 멈춰 섰다. 무작정 밖으로 나왔지만, 아직 학생인 우리가 할 수 있는 건 한정적이었다. 술을 마실 수 있는 것도 아니고, 게임을 좋아하는 것도 아니고, 영화관은 이미 문을 닫았고. 우리 뭐할까. 답은 없었다. 대신 나무를 끼고 다시 지나온 길을 되돌아가기로 했다. 저녁은 쌀쌀할 줄 알았는데 어느새 호흡이 흐트러졌다. 이마에 땀이 송골송골 맺히기 시작했을 때였다. 다시 사람들의 소리가 귓가에 울렸다. 꽃잎을 한 발로 꾹꾹 밟다 보니 몇 시간이 훌쩍 지나 있었다. 언제 이만큼 걸었지. 생각보다 엄청 머네. 말하진 않았지만 우리는 지쳐있었다. 막상 번화가로 돌아오니 어디를 가야 할지 몰라서 거리 한복판에 섰다. 그때였다. 친구가 내게 물었다. 우리 여름 마중하러 갈래?

　친구 손에 이끌려 어느 가게로 홀리듯 들어갔다. 자리에 앉자 그제야 메뉴판이 눈에 들어왔다. 뭐 먹을래. 나는 도저히 모르겠다는 표정으로 친구를 바라봤다. 친구는 대충 알겠다는 뉘앙스를 풍기며 디저트를 주문했다. 여기 와봤어? 나는 고개를 저었다. 친구의 얼굴에 미소가 걸렸다. 나도 사실 어릴 때 먹어보고 오랜만에 먹는 거긴 하지만. 그때도 맛있었으니까 지금도 맛있지 않을까? 나는 고개를 끄덕였다. 사람들이 가게 안을 가득 채우고 있는 건 이유가 있겠거니 생각하면서 말이다. 주변을 살폈다. 학생들부터 어른들까지 다양한 연령대가 있었다. 제주도민이라면 한 번쯤은 먹어봤을 거라는. 제주에 왔다면 꼭 먹어야 한다는. 지금까지 먹었던 정석을 깨준다는. 그거 알아? 제주 버전에는 육지에서는 절대 볼 수 없는 게 있어. 그게 뭔데. 내 말이 채 끝나기도 전에 친구가 주문한 메뉴가 테이블 위로 올라왔다. 시선이 저절로 음식으로 향했다. 친구는 휴대폰으로 사진을 찍었고, 나는 그대로 멈췄다. 네가 왜 여기서 나와….

친구는 넓은 그릇에 담겨 있는 빙수 위로 우유를 적당량 부었다. 눈이 물에 닿아 녹는 것처럼 얼음이 사르르 녹는 듯했지만, 신기하게 빙질이 살아있었다. 여기 빙수는 얼음을 떠서 먹는 게 아니라 얼음을 섞거나 비벼 먹는 빙수래. 메뉴판 뒤에 맛있게 먹는 법이 적혀있는 걸 보여주면서 친구가 열심히 빙수를 섞었다. 나는 친구가 하는 모양을 가만히 바라봤다. 떡도, 아이스크림도, 후르츠칵테일도, 생과일도, 콘프레이크도, 듬뿍듬뿍. 먹음직스러운 비주얼이었다. 하지만 선뜻 손이 가지 않았다. 통조림 옥수수가 여기에 왜…. 친구는 어깨를 으쓱였다. 안 먹어본 자, 쉽게 말하지 말지어다. 친구가 빙수를 크게 떠서 입안에 가득 넣었다. 여전히 맛있네. 행복한 미소를 짓고 있는 친구를 보며 나도 못이기는 척 빙수를 한입 먹었다. 재료가 가득 들어가 있어서 그런지 입안에서 여러 가지 맛이 풍부하게 났다. 달고 부드럽고 시원한. 낯선 비주얼에 거리낌이 밀려올 때는 언제고 뭐가 이렇게 맛있는지. 나는 맛있다, 같은 소리를 뱉으며 빙수를 본격적으로 먹기 시작했다. 이상했다. 진짜 이상한데, 이상해서 맛있는 느낌이랄까. 나는 입을 오물거렸다. 통조림 옥수수가 톡톡 튀면서 입안을 뱅글뱅글 돌아다녔다.

빙수를 반 이상 비워냈다. 그러자 언제 더웠냐는 듯 더위가 싹 가셨다. 그제야 정신이 든 우리는 시험 기간 동안 받은 스트레스와 문제가 이랬다는 등 요즘 감정이 저랬다는 등 이야기를 늘어놓기 시작했다. 인생의 끝이 수능이 아니었던 것처럼 공부의 끝이 시험이 아닌데도, 대학생이 된 우리는 아직 결과물에서 자유롭지 못했던 모양이다. 성적이 우리의 꼬리표처럼 따라다니는 게 아닌데도 이미 지나간 시험에 연연하고 있었다. 그러다 생각을 멈추기로 했다. 왠지 그래도 괜찮을 것만 같은 느낌이 들었기 때문이다. 그리고 칭찬해주기 시작했다. 뭔가 새로운 시도를 했다는 것만으로도 대단한 거니까.

10년도 더 지난 이야기를 떠올리다 괜히 뭉클해졌다. 어렸을 때는 뭐가 그렇게 겁이 났을까. 그저 빙수일 뿐인데도 낯설다는 이유로 먹는 걸 불편해하곤 했었다. 하지만 그때의 경험이 있어서 그런가. 지금은 새로운 걸 마주했을 때 크게 겁내지 않는다. 성장한 건지 무뎌진 건지는 알 수 없지만 확실한 건, 그때의 나와 지금의 나는 같지만 다르다. 그래서 그때를 떠올리며 울기도 하고 웃기도 할 수 있는 게 아닐까. 돌이켜보면 친구는 내게 괜찮다는 이야기를 해주고 싶었던 게 아닐까 싶다. 꽃이 지고 나면 새로운 계절이 찾아와 다른 꽃이 피고, 그렇게 다시 그 시기가 돌아올 거라고. 그러니 너무 겁내지 않아도 된다고 말이다. 분명 마음껏 즐기지 못한 봄을 마중하러 가려고 했던 거였는데. 어느새 수국이 피어 아름답게 거리를 채울 여름을 기대하고 있었으니까. 거리에 만개했던 벚꽃이 바람을 타고 모두 졌다. 하지만 더 이상 슬프지 않았다. 조만간 입안 가득 톡톡 터질 여름이 기대되니까.

36시간의 쿠키

내가 그린 쿠키

※유사상품 주의

에세이

김채리

✂절취선✂

**아메리카노
무료쿠폰**

※주문시
말씀해주세요.

커피에 관심이 있었던 건 아니었다. 이름난 곳이라고 했지만 한 번도 방문한 적 없는 2층 카페 건물은 시끌벅적하고 어딘가 모르게 거칠었다. 식사 면접은 한 시간 넘게 진행되었다. 그땐 무슨 생각이었는지 내가 한 질문이 더 많았다. 회사를 다니면서 여기 저기 지원서를 쓰고 있었는데, 앞으로 어떤 일을 하고 살아야 할지 막막한 기분이 들어 업계의 비전을 물어보기도 하고 진로 상담을 하기도 했다.

붙을 거라고 자부했던 면접 결과는 아쉽게도 불합격이었지만, 왠지 모르게 사장님과 다시 만날 것 같은 묘한 예감이 들었다. 연락이 올 것 같다는 느낌에 다른 회사는 면접도 보지 않고 기다리기만 했다.

어느덧 더운 기운이 저물고 있을 때였다. 저녁 식사를 마치고 잠깐 늘어져 있는 시간에 낯선 연락처로 전화가 걸려왔다. 나는 저장되어 있지 않은 그 번호를 금세 알아챘다. 전화를 받고 나도 모르게 내뱉었던 "기다렸어요."라는 말은 서로를 놀라게 했다.

"그럼, 1월 1일부터 같이 일하는 걸로 합시다."

나는 7년 만에 다시 바리스타가 되었다.

공식적으로 같이 일하게 된 것은 다음 해부터였지만, 사장님은 꼭 매장에 한 번 방문해주길 바랐다. 마침 제주에 놀러온 친구에게 내가 일하게 될 곳을 구경시켜 줄 겸 같이 카페에 놀러갔다. 손님으로 갔던 처음이자 마지막 방문이었다.

"네가 하고 싶은 게 있으면 다 해 봐. 단, 그에 대한 합당한 이유가 있어야 해. 최소한 3가지 정도는 비교할 수 있도록 정리해서 가져오고. 의자를 바꾸고 싶으면 우리 매장 분위기에 맞는 걸로 찾아서 정리해오고, 합당하다고 생각하면 바꿔줄 수 있어."

대화는 생각보다 길어졌다. 새로운 일터에 대한 기대감으로 가득찬 나는 반짝거리는 눈빛으로 그의 말을 새겨들었다. 어떤 재밌는 일을 시도해볼 수 있을까?

그렇게 다시 일하게 된 곳은 생각보다 바쁜 매장이었다. 선별한 원두를 직접 로스팅해서 다양한 향미의 커피를 판매하는데, 아메리카노 종류도 2종류, 필터 커피도

많으면 10종까지 되는 커피에 진심인 곳이었다. 그런데 커피보다 잘 팔리는 건 과일 음료로, 과일을 매일 직접 손질하는 것이 또 바리스타들이 해야 할 일이었다. 한 마디로 메뉴가 정말 많아서 외워야 할 것도 많고 배워야 할 것도 많은데, 손님까지 많아 그야말로 정신없는 곳이 었다.

입사한 지 얼마 되지 않아, 기존에 일하던 제빵사님이 그만두시고 새로운 제빵사 세 분이 들어오셨다. 처음엔 제빵사를 세 명이나? 하고 의아한 마음이 들었지만, 셋 이 의기투합하여 새로운 메뉴를 개발해가는 과정이 상 당히 귀여웠다. 가끔 새로운 메뉴가 나올 때마다 입에 물려주면서 반응을 기대하는 눈빛이 반짝반짝했는데, 나는 이미 빵에 충분히 길들여진 사람이라 어떤 것이든 지 물려주면 가리지 않고 잘 먹어치웠다. 그중 두 사람 은 나와 나이도 같아서 또래 친구를 만났다는 마음에 더 신이 났다.

파운드케이크, 피낭시에, 크로아상… 새로운 메뉴가 정식으로 출시되어 판매대에 올라올 때마다 나는 진심 으로 그 메뉴를 아끼게 되었다. 맛이 좋은 것은 물론이었고, 디저트를 만드는 과정을 지켜보며 그들의 노고와 정성을 알아버렸기에 작은 조각 하나하나를 사랑해마지 않을 수 없었다. 가끔 판매량이 저조해 사라지는 메뉴를 보고 있노라면, 사랑하는 이를 떠나보내는 것처럼 슬퍼했다.

세 사람의 고군분투에도 정식 메뉴가 쉽사리 정해지지 못했다. 사장님의 입맛이 끼다로워서인지, 제빵사와 의견이 맞지 않아서였는지 자세한 내막은 알 수 없었지만, 와중에 결국 한 명이 일을 그만두었다. 프랑스에 유학까지 다녀온 그의 디저트 감성을 그 카페가 품기에는 버거웠던 것 같다. 친해지기도 전에 떠나버린 그를 뒤로하고 남은 두 제빵사가 열심히 메뉴 개발에 임했다.

그렇게 치열한 사투 끝에 탄생한 6종의 르뱅 쿠키는 아주 커다란 사이즈였다. 레드벨벳, 무화과크림치즈, 쿠키앤크림, 피넛초코, 말차, 티라미수… 유리 냉장고 속을 꽉 채운 형형 색색의 쿠키들에게 난 또 사랑에 빠졌다. 이 쿠키를 어떻게든 잘 팔아보고 싶다는 마음에 사장님을 설득했다.

"쿠키 그림이 그려진 굿즈를 제작하는 거예요. 예를 들면 엽서라던지…."

나는 들뜬 마음으로 내가 구상한 생각들을 전했다. 사진을 찍어 짬이 날 때마다 그림을 그렸다. 빨간색, 초록색, 갈색, 황토색, 검정색. 다양한 맛만큼이나 알록달록한 색의 쿠키는 색을 덧입힐수록 선명해졌다. 처음엔 얘가 뭘 하나 하던 동료 바리스타들도 하나씩 완성되어가는 쿠키 그림을 보고는 깜짝 놀랐다.

"뭐야, 진짜인 줄 알았어요!"

여섯 쿠키 각각의 특징을 잘 살리기 위해서 꼼꼼하게 관찰했다. 그림을 못 그리는 편은 아니었지만, 초등학교 때 미술 학원을 잠깐 다녔던 이후로 정식으로 배워본 적이 없었기 때문에 오로지 예술적 감에 의존해야 했다. 실수하지 않으려면 한 획 한 획 천천히, 시간과 정성을 담아 칠하는 것이 답이었다.

손바닥 하나 크기의 쿠키를 그리는 데 자그마치 6시간이 걸렸다. 총 6개를 그렸으니, 도합 36시간을 들여 그림을 그린 셈이었다. 근무 중 쉬는 시간, 퇴근 후 잠들기 전, 쉬는 날 여가 시간을 틈타 6개의 쿠키 그림을 완성했다. 세상을 놀라게 할 엄청난 작품을 탄생시킨 것은 아니었지만, '누가 봐도 이 집 쿠키네'라고 보일 정도로는 충분했다. 남은 일은 그림을 스캔해서 디지털 파일로 만들고, 디자인 작업을 해서 엽서로 제작하는 일이었다. 이젠 반대로 내가 그린 그림을 궁금해하는 파티셰님의 반응 덕분에 열심히 해야겠다는 마음이 맹렬히 불타올랐다.

"사장님, 엽서 디자인한 것 좀 봐주세요!"

드디어 결전이 날이었다. 몇 주 동안 쿠키만 보고, 쿠키만 그렸더니 쿠키가 나인지 내가 쿠키인지 구별하기 어려울 지경이었다. 인터넷 검색과 디자이너 친구를 괴롭혀 PPT로 6장의 엽서 디자인 시안을 제작해갔다.

"흠, 이걸 왜 만들어야 하지?"

이 한 마디가 완성된 결과물에 대한 최초이자 유일한 평가였다.

"어… 디자인을 좀 수정해 볼까요?"

"글쎄? 사람들이 이걸 좋아할까 잘 모르겠네."

평소 사장님답지 않은 시큰둥한 반응이었다. 분명 그림을 스캔해달라고 부탁했을 때만 해도 완성될 제작물을 응원을 해주었는데, 이런 싸늘한 반응이라니. 예상치 못한 결과에 속상해할 틈도 없었다. 어디가 문제인지 말을 해주면 고치기라도 할 텐데. 그는 아예 관심조차 없는 눈치였다.

맥이 빠진 나를 위로해주는 건 파티셰님이었다. 내가 만든 쿠키를 이렇게 예쁘게 그려주셔서 고맙다고, 그것만으로도 충분히 힘이 되었다고 했다. 결국 난 쿠키 엽서 만드는 일은 포기했다. 내 디자인 역량이 부족하기도 했지만, 사장이 아무 관심이 없는데 무슨 소용이람. 이미 디저트 메뉴 출시로 사장과의 씨름을 겪은 파티셰님들은 날 다 이해한다는 눈빛이었다.

그러던 중에 어떤 일러스트 작가로부터 주문한 형형색색의 액자가 매장에 들어섰다. 나는 그제야 깨달았다. 그와 나의 미적 감각은 애초에 통하지 않았구나. 액자와

같은 그림이 그려진 엽서가 판매대에 올려지는 걸 보고 나는 스케치북을 집안 구석으로 치워버렸다. 딱 주는 만큼만 일하라던 친구의 조언이 스치듯 떠올랐다.

됐고, 쿠키나 먹자.

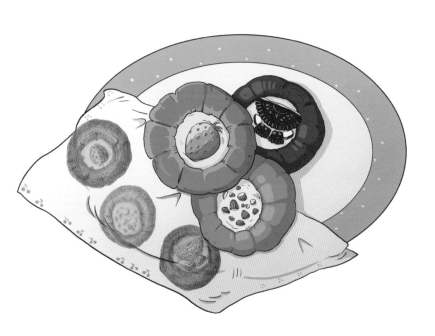

해에게 미뤄둔 질문

연예인도 다녀간 맛집

※유사상품 주의

소설
현소희

계절 한정 ✕
오픈 기념
배달팁 공짜
※소진시
탄산음료 제공

월순의 도나쓰 가게는 중앙로 구 메가박스 거리에 있다. 월순을 월슨이라고 알아듣는 사람이 많아 월슨의 도너츠 가게 혹은 도넛 가게로 부른다. 사람들이 도나쓰를 도넛이나 도너츠로 부르는 건 장사를 25년이나 끌고 온 월순의 관심 밖이 었다. 명절에도 쉬지 못하고 손에 반죽물을 묻혔던 월순의 동력은 손녀 은호에게서 나왔다. 은호는 제주도가 지긋지긋하다며 서울로 대학을 갔다. 글을 쓰겠다는 건너편 세탁소 주인네 아들과는 다르게 은호는 아이들을 가르치겠다며 교대에 들어갔다. 월순은 은호의 선택이 무척이나 만족스러웠다. 경제적인 불안정함을 베어 물고 태어난 사람은 어딘가 유별날 수밖에 없으니까.

저번 달부터 은호는 월순에게 배달을 해보라고 했다. 월슨의 도넛이라고 상호등록을 하는 거지 할부지. 월순은 은호가 사용하는 '할부지'라는 말을 참 좋아했다. 격의 없이 대해주는 손녀딸에게 고마웠다. 매출을 늘리고 싶은 마음은 없지만 재료값이 상승하면서 마진도 맞추기 힘든 상황이었다. 이런 경우에는 변화가 필요하다는 월순의 비즈니스 감각이 발동했다. 그러면서 월순은 자신이 영락없는 장사꾼이라며 은근한 자부심을 느꼈다.

하지만 문제는 월순의 고집이었다. 변화의 필요성은 인정하지만 자기가 경험해보지 못한 것을 손님들에게 추천하고 싶지 않았다. 6개월을 고민하던 월순은 직접 배달을 하기로 결정했다.

"할부지, 그거 진짜 힘들어. 내 친구 중에도 배달 아르바이트하는 애들이 있는데 빨리 안가져다 준다고 욕도 하고 그래. 할부지는 오토바이도 없잖아."

"선생님 될 애들이 왜 배달 아르바이트를 하고 있어."

"아니, 내 친구들이 무슨 교대생들만 있겠어. 할부지, 나 친구 많아."

"걱정 말어. 일단 이 동네에서만 받을 생각이야. 오토바이보다 차가 훨씬 빠르지."

"기름값이 더 나올텐데. 알았어, 할부지 나 룸메 들어왔다. 끊을게."

"응, 그래. 밥 잘 챙겨 먹고 일어나면 그거 뭐냐 그거 알지?"

"응, 한약 챙겨 먹을게."

지난 달에 월순은 은호에게 한약을 보내줬다. 시험기간이라고 새벽까지 공부하고 있을 손녀딸이 안쓰러워 건강이라도 챙겼으면 하는 바람에서였다. 맞은편 수선집 사장에게 물어물어 여성전용 한의원까지 찾아갔다. 자색 꽃이 수놓아진 가운을 입고 앞머리를 정직하게 빗어넘긴 의사가 영 못마땅했으나 함께 복용하면 좋다는 공진당까지 샀다. 늦둥이라 딸을 끔직하게 생각하시는 거냐고 묻는 말에 하나밖에 없는 손주라며 예민하게 반응했다. 은호는 딸 영미의 자리를 대신할 수 없다고 월순은 생각했다. 엄마 없이 자란 손녀한테 딸 자리까지 하라고 강요할 수는 없었다. 월순은 소리를 죽여놨던 티비의 음량을 다시 키웠다. 무대 위 조명보다 반짝이는 파란 자켓을 입은 남자가 몸을 흔들고 있었다. 저놈의 이름이 뭐였더라. 갑자기 월순의 머릿속에 은호의 목소리가 울렸다. 김일훈이잖아. 요즘 인기절정의 트롯맨.

일주일의 홍보 기간을 가지고 월순은 배달을 개시했

다. 기대보다 반응이 뜨겁지 않았다. 첫번째 배달은 세탁집 아들이었다. 그것도 아버지가 한번 해보라고 했다면서 뒤통수를 긁적였다. 아직도 소설을 쓰냐고 묻자 첫째는 고개를 끄덕였다. 월순은 남의 집 자식 꼴에 마음이 심란해져 돈도 받지 않고 현관을 나왔다. 아버지한테는 돈 받았다고 이르고 그건 네 용돈해라. 첫째의 숫기 없는 인사가 노화로 인해 청력이 떨어진 월순의 귀에 닿지 못했다. 두번째 배달은 수선집 사장님이 주문한 것이었다. 그는 윗동네 사람들과 고스톱을 치고 있다면서 전화로 연락했다. 그 빌라도 월순이 아는 곳이었다.

"아니, 왜 배달을 시켜. 그냥 평소처럼 네가 판 시작전에 사가면 되잖아."

"배달시켜보라면서. 내가 배달시킬 때가 어딨어. 기껏 주문해줬더니 이상한 사람이네."

"하여튼 여기로는 다시 시키지마."

심술이 난 월순은 도나쓰가 가득 들은 봉지를 신발장에 던져놓고 집을 나왔다. 차로 가기에도 애매한 거리라

발품을 팔았고 이마에 땀이 송글송글 맺혀 있었다. 갈 때는 내리막길이라 무릎이 쿡쿡 쑤셨다. 복개천을 따라 난 길을 걸으며 월순은 딸 영미가 떠올랐다. 영미는 예쁨 받는 것을 참 좋아하는 아이였다. 아줌마들의 관심이 좋아서 그런지 시장에 갈 때면 곧잘 따랐다. 아빠밖에 모른다던 딸내미가 남편도 없이 애를 낳았다. 애만 놓고는 사라졌다가 은호의 돌잔치에 돌아왔다. 투피스를 입은 영미의 옆에는 외국인이 서있었다. 그는 자신을 필립이라 소개했고, 둘은 교회에서 만났다고 했다. 월순은 은호를 결코 보낼 수 없다며 빌었고 영미는 백기를 들었다. 가끔 월순은 은호에게 묻곤 했었다. 영국에 가고 싶지 않냐고. 그럼 은호는 무신경하게 대답했다. 거기는 해가 안든대. 할부지, 난 해가 좋아. 언제나 그 자리에 있잖아.

　그날은 도나쓰가 스무개가 팔렸다. 비가 주룩주룩 내렸고, 오후 두시부터 손님이 뚝 끊겼다. 역정에 마음이 상했는지 수선집 사장은 월순을 보고 흥하더니 고스톱을 치러 가버렸다. 그러라지. 월순은 팔토시를 다시 끼고 기름을 갈았다. 기름은 하루에 두 번, 점심과 저녁에 간다. 기름통의 엉덩이 부분을 잡고 기울이니 맑은 기름이 콸콸 쏟아졌다. 실온에 숙성시켰던 반죽을 꺼내 도마 위에 올렸다. 빗소리가 거세지자 월순은 열었던 가게 문을 닫았다. 그리고 몇 분 뒤에 검정 선글라스를 쓴 남자가 들어왔다.

"할아버지, 팥 도너츠 두개에 꽈배기 다섯개요."

월순은 단숨에 그가 이 동네 사람이 아닌 것을 알았다. 펑퍼짐한 검은색 점퍼에 선글라스라니. 햇빛도 없는데 저 까만 안경은 왜 쓰는건지. 월순은 동그랗게 굴린 반죽을 기름에 넣으며 생각했다.

"여기가 맛있다고 하던데. 오늘은 날씨탓이라 손님이 없나봐요."

"관광오셨어요? 저 호텔에서 숙박하시나?"

"아니요. 여기 제 작업실이 있어서요. 가끔 제주도 오거든요. 아, 선글라스는 그러니까 뭐…"

남자는 갑자기 말을 뭉뚱그리더니 어쩔 줄을 몰라했

다. 관심이 없던 월순은 그런 남자의 행동이 성가셔 다시 도넛에 집중했다. 튀겨지는 반죽의 색이 노르스름해졌다. 갓 나온 꽈배기를 쳐다보던 남자가 먹어도 되냐고 물었고 월순은 고개를 끄덕였다. 순식간에 하나를 먹어치운 남자는 작게 박수를 쳤다.

"대박이다. 여기 엄청 맛집이네요."

"작업실이 여기랑 가까우면 배달을 시키세요. 제가 요즘 배달이라는 것을 하고 있거든요."

"배달을 직접 하세요?"

"네, 아직 시험삼아 우리 동네까지는 하고 있어요. 여기 있으시면 가끔 불러주세요."

"아유, 아버님 그럼 제가 매일 불러야죠."

남자의 갑작스러운 애교에 월순은 어색하게 웃었다. 아까까지만 해도 낯을 가리던 사람이 아버님이라는 말을 대수롭지 않게 하니 경계심이 생길 정도였다. 남자는 가게 전화번호를 저장하더니 총총총 걸어갔다. 월순은 그가 어디 사는지 궁금해 가게를 나와봤다. 어느새 비는 잦아들었다. 골목을 꺾은 남자의 오른손에는 검은 봉지가 덜렁거렸고, 그 모습을 보니 월순은 기분이 좋았다. 햇살의 따스한 기운에 얼굴을 맡기다가 가게로 걸어오는 사람들에 월순은 다시 들어갔다.

그리고 정확히 삼일 뒤에 남자에게 전화가 왔다. 아버님이라고 부르는 남자는 그날처럼 팥 도너츠 두개 꽈배기 다섯개를 주문했다. 그러다가 배달인데 너무 적게 시키는 게 아닌지 주저했다. 통화가 길어지자 월순은 작업실 주소를 물었다. 월순의 가게에서 걸어서는 20분 차로는 5분밖에 걸리지 않는 거리였다. 둘은 배달료를 받는 걸로 합의하고 통화를 끊었다. 자동차 시동을 걸며 월순은 옆자리에 있는 도나쓰 봉지의 사진을 찍었다. 첫 배달이다. 사진과 함께 메세지를 보내려다가 너무 주책인가 싶어 말았다. 하지만 은호라면 그럴 것이 틀림없었다. 할부지, 잘됐다. 잘됐어.

금방 찾을 것 같았던 건물의 위치가 차를 타고 가니 헷갈리기 시작했다. 짜증이 난 월순은 주차를 하고 내려

건물의 이름을 굽어보며 남자의 작업실을 찾았다. 5분이면 간다는 월순의 큰소리와는 다르게 15분이 흘러 있었다. 이 동네는 빠삭하게 안다고 생각했는데 걸으면 걸을수록 분했다. 그러다가 뒤에서 '아버님'과 '사장님'이라는 말이 번갈아 들렸다. 반바지 차림의 남자가 두 팔을 머리 위로 흔들고 있었다.

"미안해요. 내가 이 동네 사람인데도 헤맬 줄은 몰랐어. 배달료는 받지 않을게."

"아닙니다. 저도 이사 올 때는 한참을 찾았어요."

"작업실은 어디예요?"

"바로 저기예요. 저기 지하." 남자는 오래된 건물을 가리켰다. 월순은 침침한 눈으로 그 건물을 바라보다가 이내 고개를 끄덕였다.

"아, 저기구나. 저기 건물 주인을 내가 알아." 월순은 내심 자기가 모르는 건물이 아니여서 다행이라고 생각했다. "그나저나 작업실은 왜 얻었어요?" 긴장이 풀렸는지 월순은 남자에게 말을 걸고 싶어졌다.

"저 가수예요. 아버님, 그 트롯맨 아시죠?"

이렇게 보니 정말 김일훈과 닮아 있었다. 월순은 티비에서 보던 그 뽀얀 피부가 그제야 눈에 들어오기 시작했다. 잠시 멈칫하던 월순은 갑자기 은호의 얼굴이 생각났다. 싸인을 받아야 한다. 싸인.

"우리 손녀가 그쪽을 엄청 좋아해. 사인할 수 있어요?"

"사인은 해드리죠. 근데 펜이랑 종이가 없어서요. 다음에 해드릴까요. 아니면 제 작업실에 가실래요?"

월순은 당장 작업실에 가겠다고 했다. 작업실이 여기에 있다고 해도 언제 올지 모르는 연예인인데 이 기회를 날릴 수는 없었다. 오늘은 은호에게 전화해서 배달 무용담을 늘어놔야지. 그리고 김일훈의 싸인도 사진으로 찍어서 보내줘야겠다고 생각하자 월순은 저절로 웃음이 났다. 건물 지하로 내려가자 옥색 철문이 보였다. 문을 열자 월순은 신기한 표정을 감추지 못했다. 벽쪽에는 몇 가지 악기들이 반원을 그리며 모여 있었다. 제일 중간에는 분홍색 기타와 나무 의자만 있었다. 반대편에는 남색 소파와 테이블이 있었다. 일훈은 월순에게 앉으라고 했다. 월순은 쭈뼛거리며 어정쩡한 자세로 있었다. 펜과 종이를 가져온 일훈이 기어이 월순을 소파에 앉혔다.

"아버님, 제가 얼마나 이 도너스에 반했는지 몰라요. 이제 제주도 오면 여기 꼭 들르려구요." 월순은 멋쩍었는지 뒷통수를 긁었다. "사인은 한장이면 되나요?"

"아, 아니지. 한 장만 더 해줘요. 가게에도 걸게." 월순의 말에 일훈은 전혀 문제가 없다는 듯이 종이를 가지러 갔다.

"근데 따님 성함이 어떻게 되세요? 이게 원래 팬들 이름을 끝에다 써줘야 하거든요. 편지쓰듯이. 있잖아요. 누구누구님에게. 이렇게요."

"은호요. 은호. 조은호."

"어, 우리 베이스 치는 애 이름도 은호인데. 개가 제주도 사람인가. 올해에 새로 들어온 애 있거든요. 개가 닉네임이 윤호인데 원래 이름이 은호예요."

"이름 같은 사람이야 많죠."

월순의 넉살 좋은 웃음에 일훈도 금방 수긍했다. 그리고 베이스를 치는 은호가 원래 다른 전공인데도 스카우트 당한 거라며 월순은 관심도 없는 이야기를 하기 시작했다. 월순은 일훈이 은호의 이름을 잘못 쓸까 열심히 눈을 흘겼다. 일훈은 이번에 제주도에서 공연을 하게 되었다고 했다. 그걸 위해서 일찍 제주에 내려와 있다고 했다.

"저는 제주가 참 좋아요. 정말 살기 좋잖아요. 그래서 기획사 사장님이 스케줄을 다 소화하고 내려가라고 화를 내셨는데도 그냥 와버렸어요. 요즘 좀 벅차거든요."

일훈이 첫번째 싸인을 끝냈다. 조은호. 이름 석자가 잘 쓰인 것을 월순을 확인했다. 일훈의 말에는 대충 대꾸해주었다.

"다음에는 이 도나츠에 대해서 쓸까봐요. 그때가 정말 우울했거든요. 사람들이 왜 음식으로 힐링을 받는지 알겠어요. 사장님 오래 장사하셔야 해요."

"누가 도나쓰 이야기로 트로트를 불러요. 그럼 안 팔려요. 그냥 다른 것 써요. 봐봐, 누구는 도나쓰고 어떤 사람은 도나츠고 부르는 것부터 차이가 나잖아."

"그럼, 도나쓰, 도나츠 ,도넛 이렇게 골고루 불러주면 될까요?"

일훈의 티없는 웃음에 월순은 마지못해 고개를 끄덕였다.

"어떻게 부른드 도나쓰는 도나쓰지, 뭐."

"사장님, 제가 이번 주말에 콘서트를 하거든요. 여기서 그렇게 멀지 않아요. 그 체육관아시죠? 거기로도 배달을 부탁하고 싶은데요. 아마 대량 주문이 될 것 같은데 괜찮을까요?"

오랜만에 받는 대량 주문이었다. 월순은 문제없다고 넉살 좋게 웃었다. 토요일에 콘서트가 있으니 가게 문 닫고 빚으면 대충할 수 있겠다고 월순은 생각했다. 거기까지 가면 음식이 식을까 하는 월순의 걱정에 일훈은 개의치 않아 했다. 월순은 오늘 처음 본 일훈이 제 손녀처럼 기특해 보였다. 일훈의 배웅을 받으며 나온 월순은 은호의 번호를 누르려다가 걸음을 멈추었다. 생각해보니 은호의 중간고사 기간이었다. 손녀는 시험기간만 되면 일주일에 한 번은 하던 연락도 피했다. 그런 은호에게 월순은 서운함을 느낀 적이 없었다.

콘서트 전까지 월순의 가게는 반죽과의 전쟁이었다. 도합 100개의 반죽을 만드느라 3시간밖에 잘 수 없었다. 중간에 왔던 은호의 연락도 놓치고 월순은 배달 준비에 여념이 없었다. 당일이 되자 일훈의 매니저에게서 전화가 왔다. 일훈과 다르게 어딘가 고여있는 목소리가 불쾌했다. 그는 개수를 정확하게 맞춰오라고 당부했고, 계산은 여기서 하면 된다고 심드렁하게 말했다. 세 개의 박스를 뒷좌석에 담자 차에서 기름 냄새가 진동했다. 차에 시동을 걸고 출발하려던 때에 은호에게서 전화가 왔다.

"은호야, 시험은 끝났어?"

"으응. 할부지 어디야?"

"할부지 지금 배달 간다. 배달"

그러다가 일훈의 매니저에게서 전화가 왔고, 은호의 뜸을 들이는 목소리에 월순은 나중에 다시 하겠다며 전화를 끊었다. 매니저는 월순에게 대기실이 아닌 무대 뒤편으로 오라고 했다. 그의 명령조에 기분이 나빠진 월순은 일훈에게 전화를 걸었다. 어딘가 분주해 보이는 일훈은 자기가 매니저한테 잘못 전달한 모양이라며 대기실 위치를 알려주었다. 월순은 어깨를 으쓱거리며 악셀을 밟았다. 아직 공연이 시작 전인데도 체육관 밖에서 팬들이 이중 삼중으로 줄을 서고 있었다.

의외로 경호원들은 월순은 경계하지 않았다. 스태프에게 물어 월순은 겨우 체육관에 들어갈 수 있었다. 체육관에 들어오면서부터는 은호의 전화가 멈추지 않았고, 월순은 무전기를 든 스태프의 안내를 받느라 신경을 쓸 수가 없었다. 낮은 천정의 통로를 지나 탁 트인 공간이 나타났다. 옆으로 몸을 돌리자 일훈의 목소리가 들렸다. 조율이 한창인 밴드의 설익은 소리에 월순은 움찔거렸다. 스태프는 방으로 들어가라며 손짓했다. 쭈뼛거리며 입구에서 발을 못떼던 월순을 일훈이 반겨주었다. 그의 환한 미소에 자신감을 얻은 월순은 대기실 안으로 들어갔다.

"제가 좋아하는 도너츠. 말했죠. 여러분. 다들 드시고 하세요."

테이블에 상자를 놓자마자 일훈이 사람들을 모았다. 월순은 숨도 고르지 못하고 상자를 묶은 노끈을 풀었다. 김이 모락모락 나는 상자 주변으로 세션들이 모이고 있었다. 정확히 자신의 왼쪽 겨드랑이 방향에 있는 사람만 오지 못하고 있는 것이 마음에 걸려 월순은 구부렸던 몸을 일으켰다. 은호였다. 베이스를 짧게 맨 은호가 월순을 보고 있었다.

"은호야, 네가 왜 거기있어."

"할부지, 나 이것만 치고 갈게."

"이것만 치고 간다니 어딜 가. 너 서울에 있어야 할 녀석이 왜 여기 있냐니까."

월순은 목이 매 헛기침을 두번 했다. 이상한 분위기를 감지한 일훈이 지갑을 꺼내는 매니저를 저지했다. 월순은 분통이 났다. 손녀가 줄 하나가 없는 기타를 매고 트로트 가수의 밴드를 하고 있다는 사실이 어이가 없었다. 그때 누군가 '와 진짜 맛있다'라고 말했고, 그 말이 메이리같이 번지기 시작했다.

"사장님, 이거 진짜 맛있네요. 와. 저 이렇게 맛있는 꽈배기 처음 먹어봐요."

"이 팥 봐요. 고운 것 봐. 요즘 붕어빵 팥도 이러지 않더라."

"아버님." 일훈이 여느 때와 다름없이 넉살 좋은 목소리로 웃어 보였다. 태양처럼 밝은 미소였다. 월순의 얼굴이 구겨졌다. 그러자 일훈은 월순의 두 손을 잡았다. "오늘 정말 감사해요. 그리고 일단 저희는 베이스가 필요하니까. 지켜봐주세요."

그리고 썰물 빠지듯 밴드는 자신의 악기를 챙기고 나갔다. 거기에는 은호도 있었다. 월순은 딸 영미의 뒷모습이 떠올랐다. 알 수 없는 무력감이 덮쳐왔고 한 발자국도 뗄 수 없었다. 고개를 떨군 월순은 나이 예순을 넘겨서도 인생이 제멋대로 되지 않는 것이 억울했다. 그러다 타닥타닥하는 발자국 소리가 들렸다. 고개를 들자 은호가 보였다.

"할부지, 이런 걸로 낙담하지 마. 잠시 무대에 다녀오는거야. 여행을 다녀오는 것처럼. 내가 기타를 잘한대. 할아버지 딸이 워낙 재능이 많잖아."

월순은 자신의 두 손을 꼭 잡아주는 은호의 마음이 애틋해 더욱 아무 말도 할 수 없었다. 어렸을 때부터 은호는 어딜 간다면 간다고 꼭 말하는 아이였다. 월순은 은호가 이제 나이가 찼다는 것을 깨달았다. 아주 긴 여행을 다녀올 나이. 자신의 품을 떠나 어디든 갈 수 있는 나이. 자신은 이제 그걸 바라봐 주어야만 하는 나이가 되었다. 월순은 은호의 손등을 부드럽게 쓰다듬었다.

"내가 널 무대에 보낼 줄은 몰랐다. 네가 필요하다잖

아. 얼른 하고와."

　검은색 셔츠를 입은 은호는 고개를 크게 끄덕였다. 대기실을 나오자 매니저가 월순을 불렀다. 시간이 괜찮다면 공연을 보고 가라는 일훈의 부탁이 있었다고 그는 말했다. 월순은 가게 문을 잠깐 맡기고 왔다며 고개를 저었다. 도나쓰 값은 계좌로 송금했다는 매니저의 말을 듣는 둥 마는 둥 하며 월순은 체육관을 나왔다. 팬들의 환호성이 들리는 공연장과 다르게 밖은 한산했다. 오후 다섯 시인데도 해가 길어 밖은 환했다. 해가 잘 드니까. 또렷했던 은호의 말이 뿌연 연기처럼 흩어졌다. 월순은 핑계로 미뤄둔 질문이 많다고 생각했다.

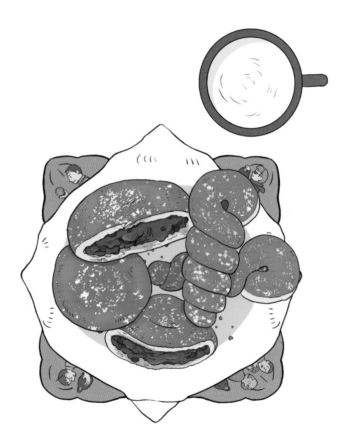

말하지 않아도

정성을 가득 담았습니다

※유사상품 주의

소설

나 봄

생일케이크
10% 할인권
※주문시
말씀해주세요.
※절취선

지연은 가게 안쪽으로 마련된 직원실로 들어가 의자에 털썩 주저앉았다. 오늘따라 유독 컨디션이 좋지 않았다. 평소라면 하지 않았을 실수를 연달아 반복했고, 덕분에 여기저기 상처가 났다. 손바닥에 붙어있는 밴드가 너덜거렸다. 억지로 붙여 놓아도 자꾸만 떨어지는 모양새가 영 탐탁지 않았다. 지연은 밴드를 꾹 눌렀다. 손끝에서부터 밀려오는 고통에 눈을 질끈 감았다.

"먼저 들어가겠습니다."
"지연아, 잠깐만."

걱정스러운 목소리로 사장님이 지연을 붙잡았다.

"종일 한숨만 쉬더니. 무슨 일 있는 건 아니지?"
"죄송합니다."
"괜찮아. 그런 날도 있지. 네가 더 속상할 텐데."
"그래도….'

말을 삼킨 지연이 고개를 숙였다. 사장님은 어깨를 두어 번 토닥였다. 걱정이 있으면 털어내도 괜찮다고, 그러다 보면 점차 괜찮아질 거라고 위로해주는 듯했다.

"맛있는 것도 먹고 기분 전환도 하고. 즐거운 주말 보내."

"네."

"푹 쉬고. 월요일에 보자."

다정한 배웅을 받으며 집으로 돌아가는 길 위에서, 지연은 하염없이 하루를 토해냈다. 한걸음에 주머니 속에 들어있는 휴대폰을 만지작거렸고, 한걸음에 한숨을 뱉었다.

[딸, 언제 들어와?]

엄마에게서 받은 메시지를 곱씹었다. 일주일 전, 지연은 엄마와 사소한 일로 크게 다투었다. 지금 돌이켜보면 그렇게까지 심한 말을 할 건 아니었는데. 순간을 후회했지만 이미 벌어지고 난 뒤였다.

'지연아. 이번 엄마 생일은 챙기지 않아도 돼.'

그러니까 너무 부담가지지 않아도 된다고, 걱정하지 말라고….

하지만 지연은 뭐가 그렇게 억울하고 서러웠는지 고래고래 소리를 질렀다. 밥을 먹던 숟가락을 식탁 위에 탁 소리가 나게 내려놓고 지연은 소리 내어 울었다.

'내가 선물도 못 해줄까 봐 그러는 거야?'
'아니야 그런 거. 마음만으로도 충분해서….'
'그게 아니면 왜! 내가 창피해?!'
'무슨 말이 그래. 엄마가 너를 왜 창피해해.'

취업을 준비하느라 힘든 딸을 알기에 넌지시 건넨 말이었을 테다. 자신을 걱정해서 한 말인 걸 알고 있었는데도 진심과는 다른 말이 계속 쏟아져 나왔다. 뱉어낸 아픈 말은 목구멍에 가시가 걸린 것처럼 따끔거렸다. 그런데도 모양도, 형태도 없는 말은 점점 더 뾰족해졌다.

'나 위하는 것처럼 말하지 마. 듣기 싫으니까.'

들킨 기분이었다. 일할 시간은 없고, 면접에서는 떨어지고, 통장 잔고는 자릿수가 줄고 있었다. 하루하루가 버겁지 않았다면 거짓말이다. 그래서 엄마에게 보여주고 싶었을지도 모른다. 나는 지금도 잘살고 있노라고.

자랑스러운 딸이 되기 위해 노력하고 있노라고. 살아가는 데에 최선을 다하고 있다고. 하지만 지연은 보이지 않는 벽 앞에서 자꾸만 무너져 내렸다.

엄마의 생일은 지연과 엄마에게 특별한 날이었다. 부모님 없이 자라 버젓한 생일상 한번 받아보지 못한 엄마를 알기에. 비록 아빠는 없지만, 충분한 사랑을 받고 자랄 수 있다는 걸 보여주기 위해 생을 희생해온 엄마를 알기에. 지연은 항상 엄마의 생일마다 보답해주고 싶어 했다. 넉넉하진 않더라도 부족하지 않게 지연을 키워 온 엄마를, 온전하게 행복할 수 있게 만들어주고 싶었다. 그 마음을 알기에 엄마가 먼저 그러지 않아도 된다고 먼저 손을 내민 거였다. 그래서 지연은 속이 상했다.

'엄마는 너 고생하니까….'

엄마가 지연을 달래기 위해 한 발 앞으로 다가섰다. 그 순간 지연은 손길이 닿지 않도록 한 발 뒤로 물러섰다. 엄마의 손이 허공에서 목적지를 잃고 방황했다. 지연은 짜증스럽게 엄마의 손을 쳐냈다. 그리고 하지 않았으면 좋았을 미운 말을, 입 밖으로 꺼냈다.

'그러니까 누가 낳으랬어?!'

엄마와의 싸움을 회상하니 다시 그때의 기분이 몰려들었다. 지연은 눈을 질끈 감고 숨을 후 뱉었다. 오늘따라 괜히 집에 들어가고 싶지 않았다.

얼마나 걸었을까. 늦은 밤이라 모두 불이 꺼진 상가 틈 사이로 아직 불이 켜져 있는 곳이 시야에 걸렸다. 진열장에 놓여 있는 먹음직스러운 케이크가 지연의 눈길을 사로잡았다. 평소에 엄마가 가고 싶어 하던 디저트 가게라는 걸 알아챈 지연은 홀린 듯 발걸음을 안으로 옮겼다.

딸랑. 종소리와 함께 커튼 사이로 가려져 있던 문을 통해 인자한 미소를 지은 할머니 한 분이 걸어 나왔다. 사장님인가. 지연은 어색한 얼굴로 고개를 숙여 인사했다. 할머니는 지연에게 웃는 얼굴로 성큼 다가왔다. 그리고 들고 있던 쟁반에서 쿠키를 하나 꺼내 건넸다.

"받아요. 오늘 하루도 고생했다고 주는 선물이에요."
"아…."

지연은 손에 든 쿠키를 한참 동안 내려봤다.

'지연아. 이거 봐봐. 맛있겠지.'
'뭐야? 쿠키네.'
'요즘 유행하는 건 엄청 쫀득하고 부드럽대.'
'먹고 싶어? 사다 줄까?'
'아니야. 나중에….'

며칠 후, TV에서 봤다는 쿠키를 지연이 가득 사서 왔을 때. 웃음꽃이 활짝 피어나던 엄마의 얼굴이 떠올랐다. 쿠키가 어쩜 이렇게 예쁘게 생길 수 있냐고, 태어나서 먹어 본 쿠키 중 제일 맛있다고. 소녀처럼 웃던 엄마의 미소가 아른거렸다.

'엄마 말 기억해준 거야? 고마워.'

마음속에서 울컥하고 올라오는 걸 꾹꾹 눌러 참느라 눈이 빨개진 줄도 몰랐다. 할머니의 따스한 손길이 어느새 지연의 등을 부드럽게 토닥이면서 위로하고 있었다. 손바닥 위로 투명한 액체가 툭, 툭, 떨어지는 줄도 모르고 지연은 울었다.

할머니는 지연을 의자에 앉힌 후 따뜻한 우유를 손에 쥐여 주었다. 그리고 지연의 옆에 앉아 조용히 입을 뗐다. 고요한 정적 사이로 두 사람의 숨소리가 부유했다.

"무슨 일인지는 모르지만, 마음에 너무 오래 담지 말아요."

"……."

"상처나. 마음에 담은 사람도, 그걸 보는 사람도."

지연의 등을 쓸어내리는 손길에는 힘이 있었다. 지연은 오랫동안 묵혀뒀던 감정을 모두 토해내는 사람처럼 울었다. 그러다 소리가 점점 삼켜 들어 진정됐을 때, 할머니는 지연을 품에 끌어안아 달랬다. 손길이 다정해서 울고 싶은 건 처음이었다.

"감사합니다, 사장님."

처음 보는 사람 앞에서 들키고 싶지 않은 모습을 보였다는 생각에 뒤늦게 민망함이 밀려왔다. 지연이 헛기침하며 시선을 피하자 할머니가 미소를 지었다.

"사장 아니에요. 우리 딸 가게인데, 오늘 애기가 아프대서 내가 대신 봐준다고 했지."

"아…."

"그 덕에 학생도 만나고. 참 운이 좋네요."

할머니는 지연이 들고 있던 잔을 비워내고 따뜻한 우유로 바꾸어 주었다. 그리고 우느라 지친 지연에게 작은 조각 케이크를 내밀었다. 우리 손녀 같아서 챙겨주고 싶네. 할머니의 인자한 미소를 보며 지연이 민망한 듯 머리를 긁적였다.

케이크는 포크로 한번 콕 찍으면 한입에 들어갈 크기였다. 그리고 빵 시트 사이로 생딸기가 가득 들어가 있었다. 지연은 입안에 조각을 넣었다. 첫인상은 황홀함 그 자체였다. 부드러운 크림과 딸기의 조화에 기분 좋은 미소가 저절로 흘러나왔다. 지연의 표정 변화를 알아챈 할머니가 푸흐흐 웃음을 흘렸다. 그리고 천천히 입을 뗐다.

"딸이 어느 날 케이크를 사 온 적이 있어요. 생일도 아닌데. 먹고 싶어서 샀다고 하면서 자기는 먹지도 않고 그냥 보더라고요. 먹어 보라길래 한 입 먹었는데, 진짜 너무 맛있는 거예요. 그래서 엄청 맛있다고. 이거 안 먹으면 후회해, 한번 먹어봐. 이랬지. 근데 갑자기 딸이 엄청 우는 거예요. 그리고 갑자기 사과를 하는 거야."

"…왜요?"

"케이크 만드는 일을 하고 싶었는데 내가 실망할까봐 말도 못하고 혼자 참고 있던 거예요. 마지막으로 이 케이크만 만들고 그만해야겠다, 다시 취업 준비해야겠다, 그랬대요. 근데 내가 엄청 맛있게 먹으니까 서러웠나 봐. 이 일이 너무 하고 싶다고. 엄마한테 떳떳한 딸이 되지 못해서 미안하다고 울더라고."

"……."

"엄청 속상했어요. 지금까지 혼자 얼마나 고민했을까, 힘들었을까, 외로웠을까, 하고 안타까워서요. 근데 티를 못 내겠더라고. 딸이 더 속상해할까 봐요. 그래서 그냥 안아 줬어요."

할머니는 그때의 감정이 올라오기라도 한 듯 씁쓸한 표정을 지었다. 하지만 이내 어두움을 걷어내고 밝은 미소를 그려냈다. 지연은 할머니의 미소를 뒤로, 웃음이 예쁜 자신의 엄마를 떠올렸다.

"나에게 너는 항상 멋지고 자랑스러운 딸인데, 뭐가 그렇게 미안하냐고. 나는 네가 엄마를 생각해서 케이크를 만들어 온 게 너무 고맙고 사랑스럽다고. 마지막이 아니라 이제 시작하면 되는 거니까 걱정하지 말라고. 한순간도 나는 너를 사랑하지 않은 적이 없다고. 얘기해줬어요."

"아….."

"그러니까 학생도 어떤 마음이든지 혼자 담아두지 말고 얘기해요."

할머니는 더 이상 말을 잇지 않았다. 그리고 지연을 두어 번 토닥인 후 가게의 곳곳을 정리하기 시작했다. 지연은 멍한 얼굴로 할머니의 손길을 따라 시선을 옮겼다. 할머니에게서 자꾸만 엄마가 겹쳐 보였다.

엄마는 나에게 무슨 말을 하고 싶었던 거더라. 다 알면서도 외면하고 있던 엄마의 마음이 수면 위로 떠오르자 마음이 일렁였다. 속상하다는 핑계로 내 감정에만 너무 취해있던 건 아닐까. 내가 속상한 만큼 엄마도 속상해하고 있을 텐데. 생각이 여기까지 미치자 지연의 손에 저절로 힘이 들어갔다. 쥐고 있던 컵은 미지근했지만,

손끝에는 따끈한 온기가 남아 있었다.

지연은 자리에서 일어났다. 그리고 진열대 안에 가지런히 정리되어있는 케이크를 찬찬히 살폈다. 고구마 케이크부터 블루베리, 초코, 망고, 복숭아 등 다양한 케이크가 놓여 있었다. 하나씩 살피던 지연의 시선이 딸기 케이크로 향했다. 그리고 아까 먹었던 케이크의 행복한 맛을 떠올렸다. 평소에 좋아하던 딸기를 잘 먹지도 않고 모두 저에게 양보해주던. 그리고 케이크를 좋아하는데 비싸다는 이유로 꾹 참던 엄마가 생각났다. 지연은 진열대 가장 가운데에 폭신한 생크림 위로 잘 익은 딸기가 올라가 있는 케이크를 골랐다. 그리고 가게에서 가장 예쁜 초도 골라 넣었다. 이걸로 할게요. 말로 하지 않았지만, 할머니는 어느새 다가와 지연을 보며 환하게 웃고 있었다. 지연의 얼굴에도 미소가 걸렸다.

"여기 엄마가 와보고 싶어 했던 곳이에요."
"우리 딸이 들으면 좋아하겠네."

지연은 케이크 상자를 건네받았다. 상큼하고도 달콤한 향이 코끝을 찌르는 듯했다. 상자 위로 작은 포스트

잇이 하나 붙어있었다. 거기에는 〈사랑하는 엄마랑〉 라는 글자가 또박또박 적혀 있었다. 지연은 글자를 하나씩 곱씹었다. 사, 랑, 하, 는, 엄, 마, 랑. 케이크 상자를 바라보며 지연이 다짐한 듯 결연한 표정을 지었다. 엄마가 너무 보고 싶었다.

"안녕히계세요!"

지연은 딸랑 소리를 뒤로한 채 집을 향해 빠르게 걸었다. 종일 걱정스러운 마음으로 자신을 기다렸을 엄마가 눈앞에 선명해질 때까지 말이다. 가로등 밑에서 울리지 않는 휴대폰을 보며 발을 동동 굴리고 있는 엄마와 눈이 마주쳤을 때, 지연은 비로소 울고 웃었다. 그리고 성큼성큼 다가가 엄마를 품에 가득 끌어안았다. 엄마는 지연의 낯선 행동에 어쩔 줄 몰라 했지만 이내 다정한 손길로 등을 토닥였다. 얼마 만에 느껴보는 온기인지. 지연은 익숙한 엄마의 내음을 맡으며 고개를 부볐다.

오랜만에 집 주위로 꽃이 피었다. 꽃 내음 사이로 새콤달콤한 딸기 향이 묻어났다.

~보너스 페이지~

금우당 아이스크림

김채리

형도는 움직이지 않는 시곗바늘을 보고 눈살을 찌푸렸다. 이번엔 일주일도 채 지나지 않았기 때문에 허탈하기까지했다. 이마에 맺힌 땀이 금방이라도 흘러내릴 것 같아 허리를 펴고 섰다. 까만 흙이 묻은 면장갑을 벗고 바지 뒷주머니에 넣어두었던 휴대폰을 꺼내 들었다. 11시 43분, 이제 곧 점심을 먹으러 갈 시간이었다. 문자 메시지 함을 몇 번 들어갔다 나왔지만 도착하는 연락은 없었다. 화면이 깨진 스마트폰은 온실의 열기를 더해 금방이라도 터질 것 같았다. 태양 빛을 그러모으기 위해 지표면을 둥그렇게 감싼 흰 비닐이 숨을 옥죌 듯이 공기를 달구었다. 형도의 정수리를 따갑게 비추는 태양 빛이 온몸을 축축하게 적셨다.

\#

수리점에서는 늘 똑같은 대답만 돌아왔다.

"다이얼에도, 태엽과 톱니에도 아무런 이상이 없습니다. 원하신다면 배터리 교체를 해드릴까요? 새 제품이라도 더러 배터리 성능이 좋지 않으면 시간이 잘 맞지 않는 문제가 발생하긴 합니다만. 비용은 뭐 아직 보증기간이 남아 있어서 무상으로 가능하죠."

형도는 그런 전화가 낯설었기 때문에 의사를 명확하게 표현할 수 없었다. 그게 아니라 이게 몇 번째입니까. 저는 당장 시계를 써야 한다고요.

"아, 배터리요⋯."

벙싯거리기만 하는 형도의 입술은 어떠한 공격성도 띠지 못하였다. 조금이라도 말이 늘어지거나 뜸을 들이는 것 같으면 전화 너머 상대방이 오히려 기세가 등등해졌다. "고객님 일단 시계를 저희 쪽으로 보내보시죠. 물건을 봐야 정확히 알 것 같습니다." 피곤한 기색을 노골적으로 드러내는 직원의 목소리가 대답을 채근했다. 형도는 전화기 너머로 흘러 들어오는 직원의 불쾌한 어조에 얼른 통화를 종료해야 할 것만 같았다. 결국 이번에도 별 소득 없이 상담이 끝났다. 수리점 주소가 적힌 문자가 형도의 휴대전화로 도착했다. '서울시'로 시작해서 '1층 금우당'으로 끝나는 주소는 소포 접수 용지에 여러 번 적은 경험으로 절반가량은 외운 듯했다. 그리고 여전히 구청에서는 아무런 연락이 없었다.

\#

　근영은 하루가 다르게 쑥쑥 자라나는 잡초들로 골치가 아팠다. 올해 첫 재배를 시도한 튤립은 예상대로 실패였다. 꽃을 들여온다고 했을 때, 주변 농가에서 요즘 생화를 사는 사람이 누가 있냐는 말을 귀에 딱지가 앉도록 들었다. 그다지 궁금하지도 않았던 근방의 망한 화훼 농가 사장님들의 근황까지 들어가며 고집을 피웠건만. 남 일이겠거니 하고 흘려들었던 말이 유난히 힘든 고비가 찾아올 때마다 하나씩 가슴에 푹 꽂혀 들었다. '니가 꽃에 대해서 뭘 안다고 그래.' 그런 말 할 시간에 꽃이나 좀 팔아주시던지. 농장 일을 시작하기 전까지 여름밤 하루살이 떼처럼 몰려 와 극성을 부리던 인간들은 막상 오픈할 때가 되니 자취를 감췄다.

꽃 농장 일은 낭만과는 거리가 멀었다. 생각지 못하게 힘을 요하는 것들이 많아서 하루에도 몇 번씩 다시 직장에 돌아가는 일을 고민했다. 그럴 때마다 한 달이나 버티면 다행이라고 비아냥거리던 차장의 얼굴을 떠올렸다. 퇴사하기 전에 미친 척 딱밤을 한 대 때리고 나왔어야 하는 건데. 아쉬움을 노동의 기쁨으로 달래었다. 땀 흘려 일하는 노동의 신성함! 근영은 흙에 정신을 집중하며 형도에게 전화를 걸었다.

"결과 나왔어? 뭐래? 됐대?"

꼭 이렇게 물어봐야 대답이 나온다니까. 몇 번을 다그쳐도 고쳐지지 않는 남편의 느긋한 성격 때문에 속이 뒤집어 질 것 같았다. 그때 토끼풀로 어설프게 만든 반지를 손가락에 끼워줄 때 도망쳤어야 했는데. 근영은 남편이 아직 남자친구였을 적 훤칠한 겉모습에 속은 과거의 자신을 원망했다.

"안됐어? 또?" 형도의 목소리가 이미 풀이 죽어있었기에 더는 묻지 않았다. 말주변이 없는 형도는 캐어 물을수록 입을 다물어 소통이 어려워지는 타입이었다. 문자 메시지로 결과를 알려주기로 했는데, 시간이 지나도 연락이 없는 걸로 보아서는 이번에도 추첨에 떨어진 모양이었다. 작년 겨울에 식당을 오픈한 지인이 현수막 광고 덕을 좀 봤다고 해서 접수 기간이 될 때마다 형도를 시켜 구청에 다녀오도록 했으나 몇 달째 낙방이었다. 이정도면 구청 직원이 우리 농장에 악의가 있는 게 아닌가 싶은 생각이 들기도 했지만, 근영도 직접 찾아가 따져 물을 정도의 배짱은 또 없어서 언젠가는 되겠지 싶은 마음으로 속상한 심정을 숨겼다.

"괜찮아, 다음 달에 신청하면 되지 뭐. 밥이나 먹자."

#

형도는 점심 메뉴로 국수를 먹고 싶다고 했지만 근영의 손에 이끌려 해장국 가게로 오고야 말았다. 오늘 튤립 모종을 좀 봐달라는 근영의 말에 딸기가 있는 비닐하우스를 먼저 둘러봐야겠다고 했던 말이 화근이었나. 어제도 설렁탕을 점심으로 먹었던 것을 생각하면 이제 국수를 먹을 때도 된 것 같았지만 이미 코리안 패스트푸드는 두 사람이 식당에 들어서자마자 밥상에 올려질 준비를 마친 채였다. 근영은 팔팔 끓는 국물이 뜨겁지도 않은지 종업원이 뚝배기를 테이블 위에 올려놓자마자 한 술 크게 떠먹었다. 캬— 낮술이라도 하는 줄로 오해할 법한 근영의 감탄사는 속 깊은 곳에서 우러나와 형도의 침샘을 자극했다. 먹는 일이 전문인 사람처럼 맛있게 들이키는 근영의 모습에 형도도 입맛을 다시며 국물을 삼켰다.

"수리점에서 시계를 다시 보내라고 하네."
"뭐? 또?"

눈은 형도의 시계를 좇으면서, 손은 밑반찬 사이를 바쁘게 누볐다. 근영은 작년 형도의 생일에 큰맘 먹고 산 고가의 시계가 정품이 맞는지 구매했던 사이트를 다시 찾아봐야겠다고 생각했다. 분명 공식 판매처라고 상세 페이지에 크게 적힌 내용을 보고 결제를 했는데… 집에서 가까운 곳에 백화점이니 아웃렛이니 하는 곳도 없을뿐더러 근영 혼자서는 먼 길을 운전해서 갈만한 실력도 아니었다. 서프라이즈로 준비하려던 생일 선물이 이렇게 골치를 아프게 할 줄 알았으면 형도에게 물어보고 샀어야 했다고 뒤늦은 후회를 했다.

"그래도 아직 보증 기간이 남아 있어서 무상으로 수리할 수 있대."

그리고 또 배터리를 교체하라고 하더라. 아니 배터리만 바꾸면 수리인가? 그럼 나도 시계공 하겠다. 실없이 웃으며 말하는 형도의 얼굴을 보며 근영은 어떻게든 시계를 고치고 말아야겠다고 다짐했다. 형도의 얼굴에서 가끔 처음 그를 보았을 적 앳된 모습을 발견하면 함께 지나온 시간이 생각나 가슴이 먹먹해질 때가 있었다.

#

근영은 자신만만하게 통화를 연결했다. 네가 물러터져서 그런 거야. 으스대는 표정으로 손가락을 가로 젓는 근영의 신발은 진흙이 묻어 엉망이었다. 형도는 전혀 위협적이지 않은 아내의 기세에 적당히 맞춰주는 척하며 어깨를 으쓱했다. 그러나 형도의 예상외로 근영의 공격력은 상당했다. 이렇게 드센 면모가 있었나 싶을 정도로 오늘 같은 날은 처음이었다.

"그러니까 제가 몇 번을 말해요. 이게 몇 년 된 물건도 아니고 작년에 구매한 거라니까요? 배터리 교체는

벌써 두 번이나 했어요!"

점점 언성이 높아지는 자신의 아내를 보며 형도는 점점 불안해졌다. 이러다 수리는커녕 시계회사의 진상 고객 목록에 이름을 올릴 기세였다. 괜찮다는 말에도 이미 칼을 빼어든 근영은 뭐라도 제대로 썰어야 할 판이었다. 그게 시계인지 휴대폰인지는 모르겠으나, 형도는 자신만 아니면 좋겠다고 생각했다.

"보니까 처음부터 물건이 잘못된 것 같은데 어떻게 배상하실 거예요? 아니 물에 빠뜨리거나 그런 건 전혀 없어요. 하… 누굴 진상으로 아나."

해장국이 너무 얼큰했나? 시계 얘기를 괜히 꺼냈나? 어느새 핏대가 선 근영의 목덜미가 분노로 붉어져 있었다. 얼굴이 빨개진 건 날씨가 더워서일 거라 멋대로 추측하며 형도는 자신의 시계를 더듬었다.

"처음부터 시계가 제대로 안 갔다구요! 몇 번을 말해!"
"근영아, 그만하면 됐어. 어차피 일할 때 시계가 필요한 것도 아니고, 우리 아이스크림이나 먹을까?"

"아, 넌 좀 가만있어봐!"

근영이 형도의 손을 세게 뿌리쳤다. 네가 못하겠다는
걸 내가 나서서 해주겠다는데 왜 그래. 전화기 너머의
어린 직원과 형도, 두 사람 사이에서 언쟁이 지속될수록
근영의 분노는 고조되었다. 꼭 이럴 때마다 그러더라.
너만 착한 사람이지? 근영은 형도를 앞질러 빠르게 걸
어갔다. 비포장도로의 질퍽거리는 바닥이 근영의 걸음
을 늦추었다. 진흙이 잔뜩 묻은 근영의 작은 장화는 두
사람 사이 거리를 점점 벌렸다.

"근영아!"

근영이 걸음을 멈추었다. …알겠습니다. 통화 화면의
종료 버튼을 누르고 휴대폰을 주머니에 넣었다. 조금 떨
어진 곳에서 들려오는 형도의 목소리가 심상치 않음을
감지했다. 뒤돌아서서 본 형도는 시계를 손에 쥐고 있었
다.

#

"이 집 아이스크림 잘하네."

"그러게."

두 사람은 작업대 앞에 앉아 선풍기 바람을 쐬었다. 비닐하우스 안 작은 휴게실은 두 사람이 처음 꽃 농장을 준비할 때 특별히 더 신경 썼던 곳이었다. 내가 쉬려고 이렇게 꾸미는 게 아니야! 나중에 손님이 오게 되면, 근사한 곳에서 상담도 하고 그러면서 우리에 대한 신뢰를 쌓는 거지. 반대로 조립한 가구를 다시 끼워맞추느라 애쓰고 있는 형도의 옆에서 근영은 쉼없이 조잘거렸다.

어느새 흙먼지로 인해 까만 얼룩이 생긴 테이블을 쓰다듬으며 형도는 불과 몇 개월 전의 두 사람의 모습을 떠올렸다. 그때도 고생했다고 여기서 아이스크림을 먹었었지. 형도는 막대를 들고 있는 근영의 손등이 그을린 것을 보고 쓰다듬어줘야겠다고 생각했다.

"그래도 시계를 물에 씻는 건 아니었어."

근영은 다 먹은 아이스크림 비닐을 쪽지처럼 접었다. 그때 하필 풀어져서 원. 근영이 형도의 손을 뿌리쳤을 때 그만 시계가 두렁에 떨어지고 말았다. 그런걸 보면 진짜 불량이 맞는 건지, 비싸기만 하고 내구성은 별 볼일 없었던 건지, 여전히 미심쩍은 감정을 숨길 수 없었다. 근영의 손등을 쓰다듬는 형도의 손가락 표면이 거칠었다. 근영은 손도 늙는 모양이라고 생각하며 물에 젖은 시계를 바라보았다.

"가끔은 이 시계처럼 시간이 멈췄으면 좋겠다."

일할 때는 오히려 시계를 보는 게 더 불편해. 오늘 시간 안가나 하고 헤아리다 보면 10분이 1시간 같은 데, 그냥 바쁘게 내 할 일 하다 보면 1시간이 10분처럼 지나간다니까? 자랑스럽게 흔들어보이는 그의 시계가 온실의 비닐을 뚫고 들어온 햇빛에 반사되어 반짝거렸다. 방금 조립을 끝내고 광을 낸 새 제품처럼 광채가 나는 금빛 시계는 처음 선물 상자에서 꺼냈을 때보다 더 영롱하게 빛났다. 시간은 전화기로 확인하면 된다고 꺼내든 형도의 휴대폰 화면에 새 문자 메시지가 도착했다는 알람이 떠 있었다.

"됐다! 일하러 가자."

민트초코?
그거 치약 아닌가요?

✂절취선✂

패밀리 사이즈 주문시
양치 세트 증정
※주문시
말씀해주세요.

 단체 주문 환영
포장·예약 가능

민초파: P
반민초파: K, H, D

P: 저도 민초를 먹긴 하지만, 그렇게 즐기는 편은 아니어서… 3명의 논리를 감당할 수 있을까 모르겠네요.

D: 저도 주면 먹긴 해요. 음식을 차별하지 않거든요. 하지만 굳이 그걸 왜 먹지? 라는 생각을 하긴 합니다.

H: 혹시 녹차 먹으시는 분 있나요? 녹차나 말차. 저는 그걸 못 먹어요.

K: 아, 녹차랑 민초랑 둘 다 초록색이라서 그런지 느낌이 비슷한 것 같아요. 좀 뜬금없긴 하지만 전 애인이 녹차랑 민초를 정말 좋아하는 사람이었거든요. 저는 그 두 개를 다 안 먹었고요. 근데 얘가 나를 그거 가지고 학대를 하는 거야. 아이스크림을 먹으러 가면 민초를 굳이 넣어서 민트맛을 느끼게 했어요.

H: 저도 tmi지만 제 친구의 전 애인이 세상에 파인애플

피자를 엄청 좋아하는 거예요.

D: 파인애플 피자…는 괜찮지 않나요? 다들 오리지널을 찾으시는 분들이군요. 그럼 혹시 피스타치오 좋아하세요?

H: 그건 맛있죠.

D: 엇, K님 표정이 이상한데요.

K: 정확하게는 모르겠지만 오묘한 향이 느껴지는 맛 맞죠? 초록색까진 아니고 푸르딩딩한 색이었던 것 같은데.

D: 민트도 아니고… 말차도 아니고… 그 사이의 무언가….

K: 아니 어쩌다가 피스타치오까지 왔죠? P님이 진성 민초단이 아니라서 의견대립이 팽팽하지 않네요. 사실 이 주제를 놓고 가장 재밌는 이야기가 나올 거라고 기대를 많이 했는데 말이죠.

P: 음, 민초가 묘하게 가끔 당길 때가 있어요.

K: 당긴다고요?

P: 민초에 환장하는 친구가 있는데 그 애따라 음료나 디저트나 이것저것 먹다 보니 어느 순간 생각날 때가 있더라고요.

K: 저런… 민초라이팅 당하셨군요.

H: 저는 논쟁보다도 여기에 대해서 얘기해보고 싶어요. 마니아적 식성이 있는 사람들은 왜 굳이 남에게 그걸 먹으라 요구할까요?

K: 맞아요! 민초나 녹차나 먹기 싫다고 하는데 꼭 그걸 굳이 강요하는 사람이 있죠. 전애인 얘기를 또 하려는 건 아닙니다.

D: 그건… 사랑하니까 그런 거 아닐까요?

K: 사랑이요?

D: 사랑이 없으면 권유를 안하죠. 음식을 먹을 때 같이 먹으면 행복이 두 배가 되잖아요. 근데 너무 특별한 취향은 그런 경험이 부족한거예요. 사랑하는 사람과 진귀한 경험을 공유하고 싶어서가 아닐까요?

H: 그래도 싫은 티를 내지 않나요?

P: 그건 배려심이 부족한 거죠!

K: 맞아, 배려심이 부족했던 것도 있는데… 그 민트초코와 녹차 때문에 괴로워하는 제 모습을 보며 즐거워했던 것 같아요. 파인애플 피자도 마찬가지 아닌가요? 파인애플 피자에 올려진 파인애플을 떼먹는 모습을 보고 싶어서 그렇게 애를 썼던 거죠.

D: K님이 정색을 하지 않을 걸 알고 있었던 게 아닐까요? 이 정도면 애교로 봐주겠지 라면서, 진짜 정색하면서 화낼 일은 따로 있으니까요.

K: 이거 왠지 모르게 연애 상담을 받고 있는 기분이 드네요. 연애 전문가셨군요.

D: 저 연애 한 적 없는데요…

~보너스 페이지~
민트초코를 왜 좋아하세요?

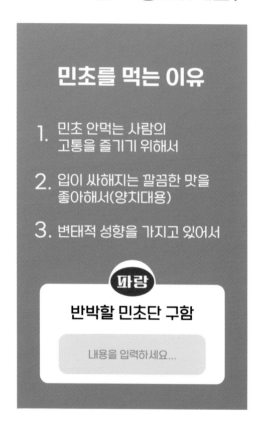

민초를 먹는 이유

1. 민초 안먹는 사람의 고통을 즐기기 위해서

2. 입이 싸해지는 깔끔한 맛을 좋아해서(양치대용)

3. 변태적 성향을 가지고 있어서

따랑

반박할 민초단 구함

내용을 입력하세요...

*진성 민초단의 노골적인 의견을 듣고자

연출된 내용입니다.

민초단 성명서

*실제 응답해주신 내용을 바탕으로
내용을 재구성하였습니다.

특정 집단을 대변하지 않으며
어떠한 법적 효력도 없습니다.

반박할 민초단 구함

변태적은 뭐야 킹받네ㅋㅋㅋ
ㅋㅋㅋㅋㅋㅋㅋㅋㅋㅋㅋㅋㅋ

죄송합니다...
밤길 조심할게요

반박할 민초단 구함

민초 맛있는 거 알리지 마세요
저 먹을 것도 없어요

ㅈ ㅔ갸 양보하겠읍니다

반박할 민초단 구함

달달하면서 다소 텁텁한
초콜렛 맛을 상쾌한 민트맛으로
중화시켜주는 달콤상쾌통쾌
최고의 맛조합!
존!맛!탱!

당신을 민초단 대장으로 임명합니다!
(치약도 똑같은 맛이더라구요^^)

반박할 민초단 구함

이야 민초단이 화날 문구만
적는 악독함...!

그렇지만...
이렇게라도 하지 않으면 민초단이
날 봐주지 않는다구...!

반박할 민초단 구함

치약따위가 민초의 비교대상이
되다니,, 화가 나는군뇨,,!ㅋㅋ
ㅋㅋ

치약은 우리의 치아를 지켜주는
소중한 존재입니다.

슈크림 vs 팥 어떤 붕어를 낚으시겠어요?

 단체 주문 환영
포장·예약 가능

슈붕파: K
팥붕파: P, H, D

K: 나만 슈붕이야? 아니 이럴 수가 있어? 슈크림 붕어빵이 더 맛있잖아요!

P: 저는 슈크림 붕어빵이었나가, 핕 붕이빵으로 갈아탔습니다.

K: 왜죠?

P: 그야… 팥붕이 진리니까요?
K: 왜죠? 저는 팥붕이 '질리'는데요?

D: 와 찢었다.

P: 저는 원래 팥붕어빵을 못먹었어요. 붕어빵 자체를 그닥 좋아하지 않아서, 먹더라도 꼬리만 먹거나 했었는데 지느러미만 먹었어요. 묘하게 맛이 없다고 해야하나? 팥 붕어빵을 왜 먹지? 하면서 슈크림 붕어빵을 먹었는

데 이게 훨씬 맛있더라고요.

K: 네 감사합니다. 오늘은 여기까지만 하면 될 것 같네요.

P: 아니, 그게 아니고! 누가 요즘 촌스럽게 팥 붕어빵을 먹냐, 대세는 슈크림이다라는 지론을 펼치고 있었죠. 근데 최근에 친구가 붕어빵을 사다 준 일이 있었는데 팥붕어빵만 사왔더라고요. 어쩔 수 없이 하나 먹어봤는데 진짜 맛있는거예요. 야 원래 붕어빵은 이런 맛이야. 팥붕어빵이 더 맛있어. 슈붕은 빨리 질려. 슈크림 붕어빵은 어딜 가나 시판 슈크림의 뻔한 맛이 예상되는데 팥붕어빵은 붕어빵집마다 조금씩 손을 보면서 맛을 달리하더라고요.

D: 와 찢었다. 이겼네요.

K: 음, 제가 생각해도 예전엔 팥이 느끼하고 쉽게 물리는 맛이었던 거 같아요. 최근에는 팥의 맛이 개선되어서 팥 붕어빵이 맛있긴 한데, 그렇지만 슈크림 붕어빵이 더 맛있는 걸?

D: 이 사람 물러설 것 같지 않아.

K: 원래 팥붕어빵이 원조긴 했죠. 근데 슈크림 붕어빵이 등장했을 때… 저에겐 혁명과도 다름없었습니다. 붕어빵에 이런 시도를 할 수가 있다고? 그 뒤로 제가 살던 동네에 붕어빵 붐이 일었어요. 피자 붕어빵도 나오고 만두 붕어빵도 나오면서 붕어빵의 장르가 아주 다양해졌거든요? 근데 결국에 그것들은 나 사라지고 살아남은 것은 무엇이냐? 슈크림 붕어빵이었습니다.

D: 저 혹시 용가리빵 아시나요? 거기에도 슈크림이 들어갑니다. 제가 봤을 때엔 붕어빵은 팥, 용가리빵이 슈크림으로 정리하면 좋을 것 같습니다. 슈크림이 들어간 붕어빵보다 슈크림이 들어간 용가리빵이 더 맛있어요. 거긴 땅콩도 들어가거든요. 그럼 다양성을 존중할 수도 있어요. 근데 전국에 다 용가리 빵이 있나요?

K: 용가리 빵 제주도에만 있어요!

D: 헉 진짠가요?

K: 슈크림 붕어빵이 육지 사람들한테 얼마나 소중한데요! 용가리 빵과 붕어빵은 지위가 다릅니다. 용가리 빵은 사계절 내내 먹을 수 있지만 붕어빵은 그 계절에만 먹을 수 있는 시즌상품이라고요. 붕어빵에 한정된 마음이 있어요. 지금을 놓치면 안돼!라는 마음가짐이 있어야만 먹을 수 있는 것이기 때문에 붕어빵과 용가리 빵의 위상은 다르다고 생각합니다.

D: 한정 판매로군요. 반박할 수 없네요.

P: 아까 K님이 피자 붕어빵, 만두 붕어빵이 사라지고 슈크림 붕어빵이 남았다고 하셨죠? 근데 거꾸로 생각해보면 태초에 팥 붕어빵이 존재했기 때문에 슈크림 붕어빵이 등장할 수 있었던 겁니다. 본질은 팥이라고 볼 수 있겠네요.

D: 저도 애기 때는 팥이 들어간 음식을 좋아하진 않았어요. 이상하게 나이를 먹으면서 팥이 좋아지더라구요. 어른의 맛이라고 해야 할까…

K: 맞아요. 저도 어릴 때는 팥을 잘 안 먹었는데 요즘

점점 좋아지는 것 같아요. 크림빵보다 팥빵이 끌리더라고요.

D: 슈크림빵은 안드시나요?

K: 슈크림빵은 아버지가 좋아하십니다만…

D: 훌륭한 아버지를 두셨네요.

H: 저는 반대로 어릴 적에는 팥이 들어간 빵을 좋아했는데, 나이가 먹으면서 크림이나 크림 치즈가 들어간 빵이 좋아지게 됐어요. 흠, 근데 이제 와서 말을 얹기가 조심스럽지만, 저는 곁들여 먹는 걸 좋아해요. 팥 두 개 먹었다 싶으면 하나는 슈크림 두 개 먹어주는 식으로…

K: 맞아요. 순서대로 먹으면 돼요!

P: 여기서도 중요한 점을 놓치면 안됩니다. 팥 붕어빵을 두 개 먹은 뒤에 슈크림을 먹는 다는 게 핵심이에요. 결국 본질은 팥입니다.

K: 어허… 저는 슈크림 붕어빵 먼저 먹고 팥 붕어빵을 먹는 걸요?

D: 아 이거 닭이 먼저냐 알이 먼저냐 같은데요? 근데 제가 붕어빵을 사는 사람들을 봐도 팥만 사가는 사람들은 봤던 거 같은데 슈크림만 사가는 사람은 못 본 것 같아요. 어때요? 그렇지 않나요?

K: 아, 앗 안돼. 오늘은 여기까지 하고 마무리할게요. 다들 고생하셨어요.

D, H, P: (소리 없는 아우성)

당 떨어질 때
디저트 한 스푼
부제: 저혈당 아닌데요?

나봄

열심히 일하다가 문득 집중력이 떨어져 머리가 멍했던 적이 있지 않은가. 평소와 다르지 않은데도 불구하고 두뇌 회전이 잘되지 않는다던가 혹은 점심을 먹었는데도 배가 고팠던 적은? 아니면 몸 상태는 별로 다를 바가 없는데 기분이 갑자기 아래로 가라앉았던 경우는 없었나. 모두 한 번은 꼭 경험해봤을 것이다. 나는 그대로인데 내가 나를 제어하지 못한다는 기분이 드는 순간. 이때 우리는 대부분 '당 떨어진다'는 느낌을 받게 된다. 신체적인 힘이 없는 게 아니라 정신적인 에너지가 떨어진 것이다.

당이 떨어진다고 검색을 해보자. 일부는 건강에 이상

이 있을 수도 있으니 검진을 받아보라고 권유한다. 무리한 다이어트나 과한 운동, 수면 부족, 건강에 이상이 있는 경우에는 의학적으로 저혈당이 올 수가 있다. 하지만 여기에 해당하는 게 아닌데도 우리는 삶에서 종종 당이 떨어진다는 기분을 느낀다. 배가 고픈 것도 아닌데 무의식중에 책상 서랍에 넣어둔 간식 상자에서 과자 한 봉지를 뜯은 적이 있지 않나. 초콜릿을 한입 먹고 나니 좀 괜찮아져서 다시 힘냈던 경험은? 종일 상사에게 시달려 힘든 하루를 보내고 나서 케이크 한 조각을 먹으니 하루가 괜찮아졌던 적은? 깨끗한 기름에 방금 튀겨 나온 도넛을, 설탕 솔솔 뿌려서 먹을 상상 하며 퇴근길에 사서 갔던 날은? 그때마다 토닥여주자. 당이 떨어진다고 느끼는 이 순간, 우리는 자신에게 외치고 있는 것일지도 모른다. 지금 너무 힘드니 당을 충전하고 잠시 쉬어달라고 말이다.

오랜 시간 모니터 앞에 앉아 글을 쓰다 보면 당이 떨어지는 순간이 온다. 지금이 그렇다. 혹시 몰라 가져온 초콜릿 슈 과자 한 봉지가 눈앞에 아른거린다. 그러다 문득 옛 생각에 빠졌다. 예전에는 봉지 크기가 더 컸던 것 같은데. 양이 더 많았던 것 같은데. 근데 최근에 이라인으로 신상 과자가 나왔다고 들었는데 이건 어디 가서 사야 하지? 이거 다 쓰고 과일이 듬뿍 들어간 생크림 케이크 한 입만 먹었으면 소원이 없겠다. 촉촉한 시트에 스며든 부드러운 크림과 과일의 조화란. 여기에 음료 한 잔도 곁들이면 금상첨화지 않을까. 생각이 꼬리에 꼬리를 무는 것을 보니 집중력이 흐트러진 것이다. 나는 정신을 차리고 과자 봉지를 뜯었다. 신체 건강을 위해 다이어트를 해야 하지만, 정신 건강을 위해서는 디저트 한 스푼을 해줘야 하는 게 인지상정인 셈이다.

디저트 시장이 성장하는 이유는 여러 가지가 있겠지만. 디저트 한 입은, 현생을 살아가느라 지친 우리가 가장 빠르고 확실하게 행복해지는 방법을 찾은 게 아닐까 싶다. 맛있는 걸 한입 베어 무는 순간 입안에 퍼지는 달콤함, 황홀감에 매료된 건 아닐까. 우리는 어쩌면 돈으로 행복을 사고 있는 걸지도 모른다. 그래서 나는 오늘도 내 외침을 외면하지 않고 빵을 한입 베어 물었다. 나는 지금 당이 떨어진다!

주최/주관: 김채리(김채윤)

후원: 한국문화예술위원회

이 도서는 한국문화예술위원회 2023년도 청년예술가생애첫 지원 사업을 지원받아 제작되었습니다

맛 집
후식편

초판 1쇄 발행 2023년 6월 14일

지은이 김채리, 나봄, 현소희
삽화가 초밥
펴낸 곳 위아파랑
블로그 https://blog.naver.com/weareparang
전자우편 weareparang@gmail.com
인스타그램 @weareparang
ISBN 979-11-983229-6-8 (04810)
　　　　 979-11-983229-9-9 (세트)
세트가격 14,000원